哈利在哪里？

【美】卡罗尔·费尔顿　【美】阿曼达·费尔顿◎著
【美】佩奇·伊斯特伯恩·欧鲁克◎绘
范晓星◎译

天津出版传媒集团
新蕾出版社

图书在版编目 (CIP) 数据

哈利在哪里？/(美)费尔顿(Felton,C.),(美)
费尔顿(Felton,A.)著;(美)欧鲁克(Rourke,P.E.)
绘;范晓星译.--天津:新蕾出版社,2016.3(2024.12 重印)
(数学帮帮忙·互动版)
书名原文:Where's Harley?
ISBN 978-7-5307-6365-0

Ⅰ.①哈… Ⅱ.①费… ②费… ③欧…④范… Ⅲ.
①数学-儿童读物Ⅳ. ①01-49

中国版本图书馆 CIP 数据核字(2016)第 021849 号

Where's Harley? by Carol and Amanda Felton; illustrated by Page Eastburn O'Rourke.

津图登字:02-2015-220

出版发行:天津出版传媒集团
新蕾出版社
http://www.newbuds.com.cn
地　　址:天津市和平区西康路 35 号(300051)
出 版 人:马玉秀
电　　话:总编办(022)23332422
发行部(022)23332679　23332351
传　　真:(022)23332422
经　　销:全国新华书店
印　　刷:天津新华印务有限公司
开　　本:787mm×1092mm　1/16
印　　张:3
版　　次:2016 年 3 月第 1 版　2024 年 12 月第 21 次印刷
定　　价:12.00 元

无处不在的数学

资深编辑　卢　江

人们常说“兴趣是最好的老师”，有了兴趣，学习就会变得轻松愉快。数学对于孩子来说或许有些难，因为比起语文，数学显得枯燥、抽象，不容易理解，孩子往往不那么喜欢。可许多家长都知道，学数学对于孩子的成长和今后的生活有多么重要。不仅数学知识很有用，学习数学过程中获得的数学思想和方法更会影响孩子的一生，因为数学素养是构成人基本素质的一个重要因素。但是，怎样才能让孩子对数学产生兴趣呢？怎样才能激发他们兴致勃勃地去探索数学问题呢？我认为，让孩子读些有趣的书或许是不错的选择。读了这套“数学帮帮忙”，我立刻产生了想把它们推荐给教师和家长朋友们的愿望，因为这真是一套会让孩子爱上数学的好书！

这套有趣的图书从美国引进，原出版者是美国资深教育专家。每本书讲述一个孩子们生活中的故事，由故事中出现的问题自然地引入一个数学知识，然后通过运用数学知识解决问题。比如，从帮助外婆整理散落的纽扣引出分类，从为小狗记录藏骨头的地点引出空间方位等等。故事素材全部来源于孩子们的真实生活，不是童话，不是幻想，而是鲜活的生活实例。正是这些发生在孩子身边的故事，让孩子们懂得，数学无处不在并且非常有用；这些鲜活的实例也使得抽象的概念更易于理解，更容易激发孩子学习数学的兴趣，让他们逐渐爱上数学。这样的教育思想和方法与我国近年来提倡的数学教育理念是十分吻合的！

这是一套适合 5~8 岁孩子阅读的书，书中的有趣情节和生动的插画可以将抽象的数学问题直观化、形象化，为孩子的思维活动提供具体形象的支持。如果亲子共读的话，家长可以带领孩子推测情节的发展，探讨解决难题的办法，让孩子在愉悦的氛围中学到知识和方法。

值得教师和家长朋友们注意的是，在每本书的后面，出版者还加入了“互动课堂”及“互动练习”，一方面通过一些精心设计的活动让孩子巩固新学到的数学知识，进一步体会知识的含义和实际应用；另一方面帮助家长指导孩子阅读，体会故事中数学之外的道理，逐步提升孩子的阅读理解能力。

我相信孩子读过这套书后一定会明白，原来，数学不是烦恼，不是包袱，数学真能帮大忙！

曼迪和内特住在第六层。

他们放学后的第一件事就是照顾哈利。哈利是他们养的小兔子。

“你去喂它东西吃，我来抱抱它。”内特说。

“嘿！太谢谢了！”曼迪说，“我干活，你光玩儿啊！”她走进厨房，取出胡萝卜。

哈利最爱吃胡萝卜了。

“哈利，我们到家啦！”内特大声叫着走到露台上。

可哈利不在笼子里。

“哦，天哪！”内特喊，“哈利哪儿去了？”

曼迪和内特到处找——床底下，椅子后面，壁橱里。

可哪儿都不见哈利。

他们又到公寓的大堂去找。

内特检查一盒鲜花的后面。“哈利不在这儿。”他说。

曼迪往雨伞桶里看。“哈利也没在这儿。”她说。

曼迪给朋友们打电话。

玛丽亚住在第八层。

盖斯住在第四层。

“到我们家来集合。哈利逃跑了！”曼迪对小伙伴们说，“带上你们的对讲机。”

“曼迪和我已经检查了我们家里和公寓的大堂。”内特告诉玛丽亚和盖斯。

“那咱们最好把每层都搜一遍。”玛丽亚说。

“内特，你和玛丽亚去楼上找。”曼迪说，“盖斯和我往楼下找。”

曼迪在第五层向大家报告。

“哈利来过这里！”她说，“送比萨的人说他看见过一只兔子！”

可哈利现在在哪儿呢？

哈利正在啃叶子呢。

第十层

第九层

第八层

第七层

第六层

第五层

第四层

第三层

第二层

第一层

盖斯和曼迪来到第四层。

“哈利来过这儿！”盖斯说，“我在妈妈养的花上面看到了哈利的牙印。”

可哈利现在在哪儿呢？

哈利正在给自己洗澡呢。

曼迪从第三层向大家报告。

“哈利来过这儿！”她说，“我看到好多兔毛！”

可哈利现在在哪儿呢？

哈利跟新朋友玩儿得正欢呢。

第十层

第九层

第八层

第七层

第六层

第五层

第四层

第三层

第二层

第一层

盖斯和曼迪来到第二层。

“哈利来过这儿！”盖斯说，“小萨拉直喊‘兔兔！兔兔！’”

可哈利现在在哪儿呢？

哈利正在坐电梯呢。

第十层
第九层
第八层
第七层
第六层
第五层
第四层
第三层
第二层
第一层

玛丽亚和内特从第十层向大家报告。

“哈利来过这儿！”内特说，“我看到地板上有它的湿脚印！”

可哈利现在在哪儿呢？

哈利遇见个吓人的家伙！

第十层

第九层

第八层

第七层

第六层

第五层

第四层

第三层

第二层

第一层

玛丽亚在第九层向大家报告。

“哈利来过这儿！”她说，“你听见了吗？小狗雷克斯一直在叫！”

可哈利现在在哪儿呢？

第十层

第九层

第八层

第七层

第六层

第五层

第四层

第三层

第二层

第一层

哈利正试图藏起来呢。

内特和玛丽亚连忙来到第八层。

“哈利来过这儿！”内特说，“我找到一条毛巾，上面有一股哈利的味儿！”

可哈利现在在哪儿呢？

哈利睡着啦。

玛丽亚在第七层向大家报告。“这儿没发现哈利的踪迹。”她说。

“还能去哪儿找呢？”内特着急地说。

“我们都到第一层集合吧。”曼迪说。

内特和玛丽亚坐电梯去第一层。

“我们发现了很多线索。”盖斯说。
“可就是没看见哈利。”内特说。
“它总是比我们抢先一步。”玛丽亚说。
“咱们不能放弃。”曼迪说。

“那是我的毛巾！”蓝迪夫人说，“谢谢！”她把毛巾扔进了洗衣车。

内特发现蓝迪夫人的洗衣车里有什么东西——白白的、圆滚滚、毛茸茸。

“哈利的尾巴！”内特大声喊。

内特伸手从洗衣车里往外一拉，原来是蓝迪夫人的毛衣！

唉！

“咱们再也找不到哈利了。”内特伤心地说。

“我累了。”玛丽亚说。

“我也是。”盖斯说。

“我饿了。”内特说。

“来,给你胡萝卜吃。”曼迪说。

这时候，从一堆盒子后面钻出来一个毛茸茸的小家伙。

“哈利！我们找到你啦！”内特一边喊，一边紧紧地搂住哈利。

曼迪笑了。“我觉得是哈利找到了我们！”

“还有胡萝卜！”内特说。

哈利现在在哪儿呢？

哈利和好朋友们在一起！

序 数 表

你知道如何表示数的次序吗？

我知道！可以用序数来表述，像第一、第二、第三！

本册故事中表示楼层的序数，从上到下依次是：

楼层	
第十层	
第九层	
第八层	→ 玛丽亚住在这一层。
第七层	
第六层	→ 内特和曼迪住在这一层。
第五层	
第四层	→ 盖斯住在这一层。
第三层	
第二层	
第一层	

表示兔子个数的序数，从左到右依次是：

第一只　第二只　第三只　第四只　第五只　第六只　第七只　第八只　第九只　第

亲爱的家长朋友，请您和孩子一起完成下面这些内容，会有更大的收获哟！

提高阅读能力

- 阅读封面，让孩子猜猜书名中的哈利是谁。请看扉页，红色的楼一共有几层？请孩子预测这个故事的内容。
- 读过故事以后，请孩子叙述哈利逃出笼子以后都去了哪些地方。这体现了兔子的哪些生活习性？
- 曼迪和朋友们决定要搜查每层楼。他们是怎样行动的？他们用了什么策略？

巩固数学概念

• 请看第 32 页表示楼层的图。请孩子想想：第五层下面是第几层？第八层上面是哪层？第二层跟第四层之间是哪层？

• 请看第 32 页表示兔子个数的图。请孩子想想，全身白色皮毛的兔子是第几只？全身深灰色皮毛的兔子是第几只？

• 请孩子看看故事中出现了楼层示意图的几页（第 11、13、15、17、19、21 页）。哈利先后去了哪几层？它是在哪层被大家找到的？

生活中的数学

• 请孩子拿出家里所有的绒毛玩具，比比它们谁最柔软，然后用纸和蜡笔制作奖状（第一名、第二名……）发给每个玩具。有几个玩具就做几张奖状。请孩子按顺序发奖，从第一名开始。还可以让孩子在纸上从左到右，分别把玩具按得奖顺序画下来。

• 在卡片上分别写上 1～10 几个数字。打乱卡片，请孩子从左到右按数的大小排列卡片。再次打乱卡片，让孩子从下到上按数的大小排列卡片。

互动练习！
曼迪和内特在电梯内，看到按钮板上只有十个按钮，没有数字。请根据常识，在按钮处填上合适的数字。

互动练习2

仔细观察下图。回答下列问题：

(1)内特想去玛丽亚家做客，玛丽亚的家在第八层，他应该按↑还是↓呢？

(2)曼迪想找盖斯玩儿，盖斯家在第四层，她应该按↑还是↓呢？

按照要求回答下列问题。

(1)从左向右数,请将第六个苹果涂成红色。

(2)从左向右数,请指出第几只小狗头朝向右。

(3)从前向后数,在下面的队伍中,警察叔叔站在第几个呢?

(4)找一找,从左向右数,红色的生气的脸排在第几个呢?

根据图示,回答下列问题:

(1)纵列中,从上向下数, 在第____个。

(2)纵列中,从下向上数,  在第____个。

(3)横排中,从左向右数,  在第____个。

(4)横排中,从右向左数, 在第____个。

根据图示回答下列问题。

(1)一共有____只小动物。

(2)从左向右数,小猴子排在第____位,从右向左数,小猴子排在第____位。

(3)小猪的右边有____只小动物。

(4)小老鼠的左边有____只小动物。

互动练习6

大家正在观看兔子赛跑的画面。棕红色皮毛的兔子距离终点还有一段距离,快来看看它现在是第几名?如果它要想得到第一,还要超过几只兔子?

曼迪和内特在下五子棋,曼迪是黑棋的一方,内特是白棋的一方,内特马上就要走下一步了,请帮内特考虑下,将白棋放在哪个位置,他就能获胜了。请将位置用坐标的形式表示。

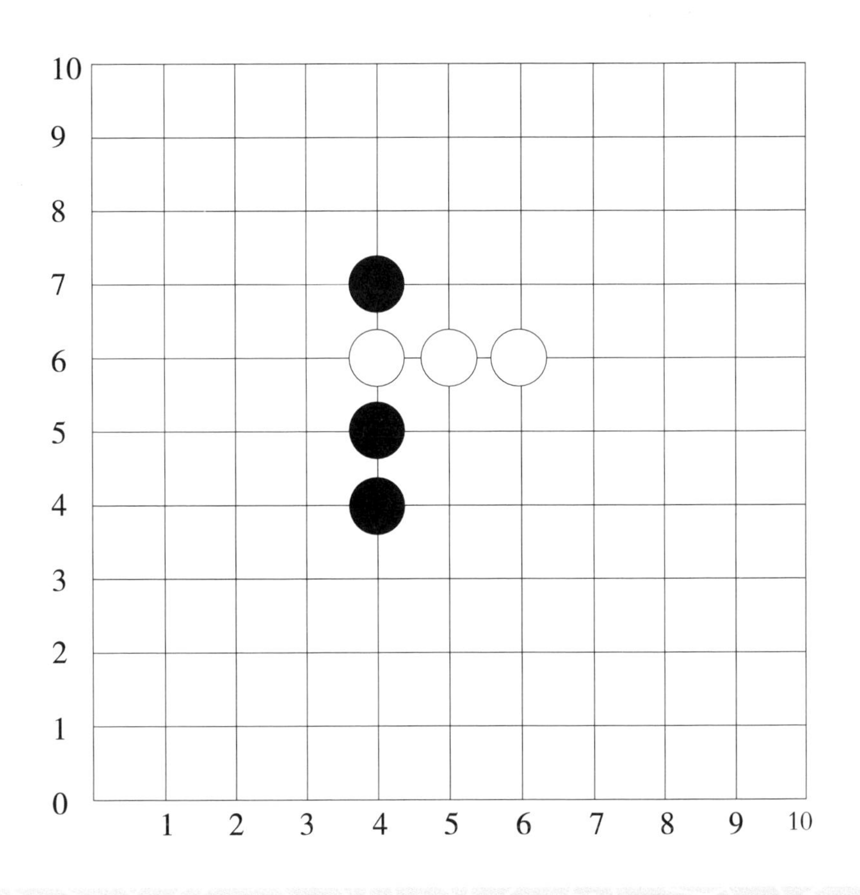

互动练习 1:

互动练习 2:

(1)↑　(2)↓

互动练习 3:

(1)

(2)第九只

(3)第五个

(4)第三个

互动练习 4:

(1)四

(2)三

(3)五

(4)六

互动练习 5:

(1)七

(2)五,三

(3)四

(4)五

互动练习 6:

第三,两只

互动练习 7:

(3,6)或(7,6)

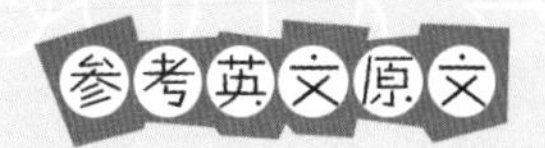

Where's Harley?

Mandy and Nate live on the sixth floor.

The first thing they do after school is take care of Harley. Harley is their pet rabbit.

"You feed him and I'll cuddle him," says Nate.

"Oh, thanks," says Mandy. "I work while you play!" She goes into the kitchen and gets the carrots.

Carrots are Harley's favorite food.

"We're home, Harley." Nate calls. He goes out to the terrace.

But Harley is not in his hutch.

"Oh, no!" Nate yells. "Where is Harley?"

Mandy and Nate look everywhere—under the beds, behind the chairs, inside the closets.

But no Harley.

They even look out in the hall.

Nate looks behind a box of flowers. "No Harley," he says.

Mandy looks inside the umbrella stand.

"He's not in here, either," she says.

Mandy calls their friends.

Maria lives on the eighth floor.

Gus lives on the fourth floor.

"Meet us at our apartment. Harley escaped!" Mandy tells them. "Bring your walkie–talkies."

"Mandy and I already checked our apartment and the hall," Nate tells Maria and Gus.

"We'd better check all the floors," says Maria.

"Nate, you and Maria look upstairs," says Mandy. "Gus and I will go downstairs."

Mandy reports from the fifth floor.

"Harley was here!" she says. "The pizza guy says he saw a rabbit!"

But where is Harley now?

Harley is munching on leaves.

Gus and Mandy walk down to the fourth floor.

"Harley was here!" Gus says. "I see his tooth marks on my mom's plant!"

But where is Harley now?

Harley is cleaning his fur.

Mandy reports from the third floor.

"Harley was here!" she says. "I found some rabbit hairs!"

But where is Harley now?

Harley is making a friend.

Gus and Mandy go down to the second floor.

"Harley was here!" Gus says. "Baby Sarah is saying, 'Bunny! Bunny!'"

But where is Harley now?

Harley is going for a ride.

Maria and Nate report from the tenth floor.

"Harley was here!" Nate says. "I see his footprints on the wet floor!"

But where is Harley now?

Harley is getting a scare!

Maria reports from the ninth floor.

"Harley was here!" she says. "Can you hear me? Rex won't stop barking!"

But where is Harley now?

Harley is trying to hide.

Nate and Maria hurry to the eighth floor.

"Harley was here!" Nate says. "I found a towel, and it smells like Harley!"

But where is Harley now?

Harley is taking a nap.

Maria reports from the seventh floor. "No sign of Harley here!" she says.

"We don't know where else to look," says Nate.

"Let's all meet on the first floor," says Mandy.

Nate and Maria ride down to the first floor.

"We found lots of clues," says Gus.

"But no Harley," Nate says.

"He just keeps one hop ahead of us," says Maria.

"We can't give up," Mandy says.

"That's my towel!" says Mrs. Lundy. "Thanks!" She puts it in the laundry cart.

Nate spots something in Mrs. Lundy's cart. It's white. It's round. It's fluffy.

"It's Harley's tail!" Nate yells.

Nate reaches into the laundry cart and pulls out—Mrs. Lundy's sweater!

Oops!

"We're never going to find him," says Nate.

"I'm tired," says Maria.

"Me, too," says Gus.

"I'm hungry," says Nate.

"Here, have a carrot!" says Mandy.

Something furry hops from behind some boxes.

"Harley! We found you!" Nate shouts. He gives Harley a big hug.

Mandy laughs. "I think Harley found us—"

"AND the carrots!" says Nate.

Where is Harley now?

Harley is with his best friends!